Pour Jean-
le Sacha

Bon vac...
chez les Celtes

SERGE OLIERO
STÉPHANIE GRANDVAL

TERRE D'ÉCOSSE

Collection dirigée par Emmanuel Braquet

ÉDITIONS A. BARTHÉLEMY, AVIGNON

Serge OLIERO

Entré dans le monde de l'image grâce à sa formation de photographe, il se consacre rapidement à la découverte de notre planète. A 23 ans, il réalise un diaporama sur une expédition au Népal. Freddy Boller lui propose de participer à sa fabuleuse expédition en Afrique Orientale qui lui offre la chance de rencontrer des minorités menacées de modernisation ou d'extinction, masais du Kenya aux bushmens du Kalahari. Il devient assistant de Jean-Claude Berrier et va présenter un reportage d'un intérêt exceptionnel sur la vie des peuples nord-africains rencontrés lors de l'expédition "Sahara-Congo-Kenya" en 1952.

Aujourd'hui, il réalise son premier long métrage sur l'Ecosse et s'attache à retracer la formidable histoire de cette région de Grande-Bretagne, qui n'en est pas moins un pays dans l'âme !

Stéphanie GRANDVAL

A travaillé en collaboration avec Serge Oliero sur le film reportage de l'Ecosse. Son travail de fond concernant la recherche documentaire, la préparation et la réalisation des interviews et son investissement sur le terrain lui ont permis d'effectuer la rédaction de ce livre et de réaliser une partie des photos sur des thèmes chers aux deux auteurs. Elle partage actuellement son temps entre son travail d'attachée de presse et les voyages, en quête de témoignages à apporter sur d'autres peuples, d'autres mode de vie.

© ÉDITIONS A. BARTHÉLEMY, 1997

ISBN 2-87923-084-5 - ISSN 1158 - 7474

"Comme le brouillard,
l'histoire enveloppe cette partie du monde".

R.-L. STEVENSON

Callanish île de Lewis

Les légendes ont nourri ces terres empreintes de beauté, puis les hommes qui y ont vécu. Fantômes, fées et lutins, tout le monde en parle, mais personne ne les a jamais vus. Les hommes passent et le petit peuple reste, témoin amusé de nos folies, un peu triste aussi de ne pouvoir nous communiquer sa sagesse. Mais les sources sont là et c'est aussi à nous de tendre l'oreille afin de les écouter, d'ouvrir les yeux à ce qui nous entoure et de se laisser inspirer par le meilleur.

On remonte ici aux sources de l'imaginaire et c'est peut-être là, en Écosse, la plus belle chose à faire.

AVANT-PROPOS

L'Écosse a toujours fait partie d'un rêve, que l'on aurait pu reléguer au monde de l'enfance s'il ne s'était encore imposé à moi à l'âge adulte. Bon, finalement il suffisait de prendre un billet de bateau, d'avaler quelque 1000 kilomètres d'une route assez ennuyeuse, pour vivre enfin ce pays et tenter de retrouver la magie inénarrable de paysages grandioses, de gens foncièrement bons et enracinés dans la vie, la tête sur les épaules et le cœur sur la main. Mais on a toujours un peu peur de confronter ses fantasmes à la réalité, car tout ce qui relève du domaine du possible mais non accompli possède une grâce rayonnante. J'ai pourtant décidé d'aller voir là-bas, vérifier toutes ces images qui me trottaient en tête et confronter mon imagination à la réalité. Bien entendu, je n'ai pas été déçu. L'Écosse possède une dimension fantasmagorique qui s'élève à la hauteur de nos songes. Alors, malgré le vent et la pluie, ou peut-être à cause d'eux, l'imagination vagabonde et l'on se prend à refaire l'histoire, réécrire l'instant ou bien se dire qu' ici, à cet endroit, il n'y a rien et il n'y aura jamais rien : trop pelé, trop pauvre, trop vide, trop sauvage.

Mais maintenant le doute m'envahit et je me rappelle ce très joli film intitulé *Brigadoon*, dans lequel le héros tente en vain de retrouver un village enchanteur rencontré par hasard au cours d'une promenade. Il apprend avec stupeur que ce village et ses habitants n'apparaissent aux yeux du monde qu'une journée tous les cent ans. Et soudain, je me demande... Ai-je vécu une expérience réelle ou bien ce voyage n'était-il que le fruit de mon imagination, un rêve éveillé, une chimère de la conscience ? Mais peu importe, du moment que notre trajectoire s'en trouve enrichie, nourrie jusqu'à la moelle et que, au bout du compte, il nous reste quelques instants de pur bonheur...

INTRODUCTION

Avant l'union des Couronnes en 1603 puis l'union des Parlements en 1707 avec l'Angleterre, l'Écosse entretenait des relations étroites et privilégiées avec la France. Un Écossais évoquera toujours la "Auld Alliance", cette célèbre vieille alliance conclue entre l'Écosse et la France. Au XVIᵉ siècle, un décret instaure la double nationalité entre les deux pays et de nombreux mots dérivés du français se retrouvent dans le parler écossais. Puis, lorsque fut décrétée l'union des Parlements écossais et anglais en 1707, l'Écosse se rallia bien malgré elle à la communauté britannique.

Voici donc deux peuples très différents, vivant sur la même île et contraints de s'associer pour une uniformisation de la culture, de la langue et des mœurs. C'était sans compter sur l'extraordinaire relent nationaliste qui sous-tend, telle une lame de fond, l'esprit de la communauté écossaise. De plus, la géographie de l'île a été un élément déterminant à l'enclavement des populations du Nord et au maintien de leurs particularismes. L'Écosse est, à bien des égards, un pays unique dont les habitants sauront vous donner, au détour d'un verre de whisky, une belle leçon de vie.

IL Y A QUELQUES SIÈCLES…

Autrefois, un voyage dans les Highlands et les îles Hébrides était une entreprise périlleuse, semée d'embûches, et seuls les explorateurs intrépides menaient leurs pas jusque dans ces contrées inquiétantes et dangereuses. Au début du XVIIIe siècle, l'Écosse était mise à l'écart par ses voisins anglais que rien n'attirait là-bas. Cette méfiance à l'égard de l'Écosse explique le nombre restreint de voyageurs anglais durant la première moitié du XVIIIe siècle. Il est vrai que voyager dans les Highlands à l'époque était une terrible épreuve. Les voyages se faisaient à cheval sur des routes défoncées, dangereuses, et les rivières étaient passées à gué faute de ponts. Les auberges étaient rarissimes et souvent sordides. La langue gaélique limitait considérablement la compréhension avec les habitants. C'est pourquoi, jusqu'en 1745, aucun voyageur n'est venu dans les Highlands pour le plaisir ou par intérêt scientifique et les témoignages de l'époque parlent du pays avec effroi, expriment la noire sauvagerie des paysages sans arbres et vont jusqu'à affirmer que ces régions du Nord sont impropres à l'habitat humain !

Pourtant, si l'on se penche sur les nombreux récits de voyage écrits à l'époque, on décèle une sorte d'attrait et même de fascination à l'égard de ces régions du Nord et des îles perdues là-haut dans la brume. Ces récits évoquent, parfois de façon péjorative, la vie des natifs du pays et soulignent l'énorme fossé qui sépare ces hommes et ces femmes du reste du royaume britannique. On y parle d'ancêtres moitié nordique, moitié celte, d'une culture et d'une langue gaélique et surtout d'un système social unique en Europe : le système des clans, sorte de Cosa Nostra celtique qui s'est considérablement affaibli après la bataille de Culloden en 1746.

Ce qui constituait à l'époque un véritable enfer est devenu aujourd'hui un petit paradis sur terre. Visiter l'Écosse, et notamment les Highlands et les îles Hébrides constitue un voyage initiatique, un retour intérieur aux sources de notre imaginaire, une immersion totale dans un univers intact, préservé, sorti tout droit de la genèse du monde. L'Écosse est certainement un endroit où le doigt divin s'est langoureusement attardé pour en arrondir les sommets, polir les roches comme du cristal, colorer les reliefs de touches subtiles de vert, ocre, mauve ou orangé, un endroit où les dieux s'épanchent dans les rivières tourbillonnantes et où le souffle céleste fait courir les nuages sur la plaine et couche les herbes folles. Dans ces terres en apparence immobiles, la mutation est permanente. L'Écosse, c'est aussi ça, la contemplation, fixer l'instant avec intensité et, en prenant le temps, votre temps, vous ressentirez sans doute l'extraordinaire force des paysages et de ses habitants, leur sollicitude généreuse et leur sincère amitié.

ET LES HOMMES ?

Jusqu'au milieu du XVIIIe siècle, la moitié des Écossais vivaient dans la région des Highlands. On retrouve cette occupation humaine dans la densité de constructions datant de l'époque néolithique qui indique qu'à l'âge de pierre, les populations occupaient les hautes terres d'Écosse, probablement sous un climat plus doux. Les forts, les brochs (sorte de tours de pierre) et les sites archéologiques disséminés dans le Nord et les îles témoignent d'une installation humaine durable sur des positions stratégiques. La topographie de l'Écosse, et particulièrement celle des Highlands et des îles reste encore mystérieusement intemporelle. Dans un paysage dominé par d'anciens dolmens, pierres levées et tours de l'âge de bronze, l'anachronisme réside plutôt dans ces maisons modernes en préfabriqué, mal entretenues et alignées traditionnellement le long de la route principale. Ce sont les "townships", villages écossais autrefois composés de petites fermes arrondies en pierres au toit de chaume.

Pendant des siècles, et tant que leur résistance fut plus forte que la nécessité, les Écossais du Nord, les highlanders, refusèrent la construction de routes goudronnées car, elles leur rappelaient la prédominance anglaise sur leurs terres. Ils préféraient largement sentir sous leurs pieds le roc et la bruyère, symboles de leur force et de leur nation.

Pourtant, jusqu'au milieu du XIXᵉ siècle, les liaisons maritimes entre les îles étaient aléatoires et soumises aux conditions météorologiques. De ce fait, l'isolement de la population était beaucoup plus frappant aux yeux des voyageurs à qui il fallait deux ou trois jours depuis Glasgow pour relier les Hébrides. Des liaisons régulières s'établirent à la fin du XIXᵉ siècle, mais un circuit touristique entrepris à cette époque pouvait rapidement se transformer en une entreprise chaotique, un voyage épique d'où l'on ressortait épuisé et hagard : les rares hôtels étaient pris d'assaut par les aventuriers du grand Nord en quête d'exotisme, de frugales auberges d'où l'on ressortait souvent affamé, des routes défoncées parfois impraticables, tout cela combiné avec des moyens de transport incertains faisait d'un voyage dans les îles et le nord de l'Ecosse une épopée digne de Livingston aux sources du Nil.

La voie maritime était finalement le seul moyen de transport des hommes et des marchandises. Et bien que l'Écosse soit rattachée à l'Angleterre, des bateaux réguliers assuraient le transport des marchandises comme le charbon entre Londres et les ports principaux de Dundee, Aberdeen ou Glasgow. De la même façon, les relations commerciales avec l'Irlande ont toujours été très actives, ainsi que l'émigration des populations. Le long du littoral, des ports abandonnés témoignent d'un important trafic par bateaux et même certaines villes que l'on aborde aujourd'hui par la terre étaient desservies par la mer. Tel était le cas d'Edimbourg. De la même façon, les rivières étaient jusqu'au XXᵉ siècle, le moyen de transport le plus couramment utilisé. Dans les terres, il est même difficile d'imaginer que certains endroits étaient inaccessibles et dépendaient du transport fluvial. Les lochs étaient utilisés pour délimiter les frontières paroissiales et les canaux et estuaires constituaient un obstacle aux armées. D'ailleurs, bon nombre de batailles célèbres (Bannockburn, Falkirk) ont été remportées en utilisant ces barrières comme une arme stratégique. Les chaînes montagneuses constituaient un refuge idéal pour les résistants et ont aidé, d'une certaine façon, à préserver pendant des siècles l'indépendance de l'Écosse.

Ainsi, le relief abrupt et chaotique du pays, de même que les voies navigables ont défini la répartition des communautés. Chaque région était soit coupée, soit reliée à d'autres par les fleuves et les rivières.

Les villes et les villages tels qu'on les découvre aujourd'hui sont en fait relativement récents et leur installation remonte seulement au début du XIXᵉ siècle, avec le développement de l'agriculture et de l'industrie. Leur construction fut rapide et efficace et l'on retrouve une grande concentration de ces "nouvelles villes" dans le nord-est, dans la région des Grampians. Précisons que la population a augmenté de façon considérable entre le XVIIIe et le XIXe siècle. Les effectifs de Glasgow ont triplé en soixante ans et un phénomène comparable s'observa dans d'autres villes d'Écosse. Mais en même temps, les campagnes se dépeuplaient, preuve que l'environnement rural offrait peu de perspectives aux nouvelles générations. L'afflux continu vers les villes créa des situations dramatiques de surpeuplement, notamment à Glasgow où l'on s'empressa de construire de véritables "tours humaines", créant ainsi des banlieues tragiques de laideur.

IL ÉTAIT UNE FOIS

L'histoire de l'Écosse est passionnante à bien des égards et si un pays relègue souvent son passé dans l'inconscient collectif, l'Écossais, lui, est capable de s'enflammer au sujet d'un évènement qui s'est déroulé il y a plus de deux siècles. La bataille de Culloden de 1746 n'appartient pas qu'au passé ; elle est une affaire de présent car sa raison d'être a traversé les siècles et son souffle puissant insuffle dans l'âme des Écossais une vigueur de revendication étonnante. C'est lors de cette bataille que l'Écossais du Nord, le Highlander, a perdu son âme et son kilt par la même occasion. Il est des évènements historiques qui ont valeur de symbole et l'indépendance, c'est le rêve que tout Écossais cultive comme un jardin public à travers son folklore excentrique et ses jupes à carreaux.

Gravure Picte sur pierre

L'Écosse a toujours été loin de ce que l'on appelle les "grandes civilisations" et les courants de pensée occidentale qui déferlèrent sur l'Europe au cours de l'ère chrétienne n'ont pas atteint, ou alors tardivement et de manière édulcorée, cette terre lointaine, pour les Romains déjà "au bord du monde habitable". Ainsi, même aujourd'hui, l'originalité de l'Écosse reste entière et l'on peut sans doute puiser dans son histoire proprement unique les raisons de cette singularité.

Tout d'abord, l'Écosse n'a jamais été conquise par les Romains et elle a su développer son propre modèle social et politique en dehors de l'influence romaine de l'époque. Les premiers peuples débarquent d'Irlande, d'Angleterre et de la mer du Nord environ 5000 ans avant J.-C. Ils laissent des témoignages inestimables de leur spiritualité, en élevant des pierres en l'honneur des puissances telluriques et cosmiques auxquelles ils vouent un culte à travers des rituels et des croyances (les pierres levées de Callanish sur l'île de Lewis). On associe également le cercle solaire de Callanish au cercle de la croix celtique. Ces mêmes Celtes s'installent au IIIe siècle avant J.-C. Ce sont des conquérants farouches et intrépides et leur civilisation évoluée ébauche la première organisation sociale de l'Écosse. Ils installent des villages fortifiés et construisent des brochs, sortes de tours rondes massives de six à treize mètres de hauteur, à usage d'habitation, qui constituaient de véritables forteresses inexpugnables (Carloway Broch).

Bientôt, les Celtes doivent faire face à une force irrépressible qui monte du Sud : les Romains. Pourtant, Jules César, impressionné par ces féroces guerriers, n'osera même pas s'aventurer en "Calédonie" et l'empereur Hadrien, un siècle plus tard, va ordonner la construction d'un mur de défense au sud de la frontière écossaise : plus de cent kilomètres de long et sept mètres de hauteur. Le mur d'Hadrien témoigne de l'effroi que les Celtes suscitaient chez les Romains, pourtant aguerris et habitués aux conquêtes. A cette époque, l'Écosse n'a pas encore trouvé de nom et on l'appelle indifféremment Alba (la Blanche), Scotia ou Calédonia (le pays des arbres sur la montagne). Pourtant, les peuples en place, Brittons d'Angleterre, Scots d'Irlande, Pictes du Nord et Anglo-Saxons vont trouver leur unité sous l'autorité d'un Scot, Kenneth MacAlpine, qui devient, en 844, le premier roi d'Écosse. La culture picte, dont l'origine reste énigmatique, disparaît progressivement et laisse derrière elle un fonctionnement social qui fait aujourd'hui la fierté des Écossais : le système des clans. Commence alors la grande époque des rois célèbres et des querelles dynastiques : Macbeth, Malcom Canmore qui épouse Margaret d'Angleterre en 1070 et David Ier, considéré comme le plus grand roi d'Écosse. C'est lui qui va donner au royaume une organisation administrative et juridique centralisée qui va survivre pendant des siècles, affirmant ainsi son opposition au pouvoir anglais. Le royaume est prospère et peut se permettre d'acheter les îles Hébrides aux Norvégiens. L'organisation clanique des individus se dessine, calquée sur le système féodal européen et c'est vraiment à partir du XVe siècle que ce fonctionnement politique va marquer la séparation culturelle et surtout morale entre l'Écossais du sud, fortement anglicisé et le Highlander, de culture et de tradition gaélique.

La solidité politique du pays n'empêchera pas les Anglais et les Normands d'acquérir progressivement des territoires et d'occuper des postes importants dans l'Église et dans l'État. Sous David Ier, pratiquement tous les territoires du Sud appartiennent aux Normands puis, sous les rois suivants, Malcom IV et William, le phénomène s'étend au Nord. Cette situation va déstabiliser la société irlandaise, qui avait déjà eu du mal à digérer les Pictes, les Brittons et les Angles. L'Écosse du XIIe siècle fait penser à un pays occupé. Les étrangers normands s'installent et fondent des bourgs, ils érigent des cathédrales. Mais les tensions entre les envahisseurs et les autochtones s'accroissent. La ligne dynastique est difficile à établir, car diverses races doivent être dirigées : Français, Anglais, Scots, Norvégiens, Flemings. Les rois qui règnent sur ces peuples sont issus de la lignée irlandaise et ignorent l'importance de la lignée dynastique.

Robert Bruce

Marie Stuart

Cependant, le contexte politique et religieux est relativement stable et le commerce et l'industrie se développent. L'Écosse connaît une période de prospérité sans précédent. Mais son indépendance est à nouveau menacée lorsque Alexandre III meurt. John Balliol lui succède mais n'est pas très doué pour diriger les affaires du pays. Son seul mérite aura été d'établir avec Philippe le Bel, le traité de la "Auld Alliance" en 1296, qui va instaurer des liens privilégiés et une entraide mutuelle entre la France et l'Écosse. On retrouvera notamment plus de 7000 soldats écossais contre les Anglais aux côtés de la France pendant la bataille d'Azincourt et aujourd'hui, la communauté française recensée en Écosse se classe au troisième rang des communautés étrangères. Ainsi, Edouard Ier d'Angleterre va profiter de la faiblesse de Balliol pour envahir l'Écosse et le faire prisonnier. Le château d'Edimbourg tombe et c'est à ce moment-là qu'un violent sentiment nationaliste s'empare du peuple. Le mécontentement gronde et des révoltes explosent. William Wallace devient le porte-parole de tout un peuple, rappelez-vous *Braveheart*, magistralement mis en scène par Mel Gibson. Il finira pendu, décapité et découpé en morceaux. Robert Bruce, d'origine anglo-normande, prend sa succession et mène triomphalement son pays à la victoire. Il rédige et signe en 1314 avec l'ensemble des barons d'Écosse la célèbre déclaration d'Arbroath. Il y est déclaré "Aussi longtemps que cent parmi nous seront vivants, nous ne consentirons jamais, en aucune manière, à nous soumettre au gouvernement des Anglais, car ce n'est ni la gloire, ni les richesses pour lesquelles nous nous battons, mais la liberté seulement, que nul homme, digne de ce nom, n'accepte de perdre, sinon avec sa vie".

L'Écosse sort de cet épisode essentiel dans son histoire fière d'elle-même, et enfin pacifiée. Mais l'accalmie ne durera pas. Des rois incapables se succèdent au trône d'Écosse et l'affaiblissement du pouvoir royal conduit la noblesse à diriger le pays de façon anarchique et selon ses intérêts personnels. Le pays entier devient un repaire de voleurs et dans ce climat d'insécurité, ressurgit dans les Highlands de tradition celtique, l'ancienne tendance familiale au regroupement autour d'un chef : ici commence véritablement l'histoire des clans écossais et la séparation morale des Highlands du reste du pays.

Le pays est repris en main par la lignée des Stuarts au destin exceptionnellement tragique. Le dernier fils de Marie Stuart, Jacques VI d'Écosse, est le premier et le dernier roi d'Écosse à accéder au trône d'Angleterre à la mort de la reine Elisabeth. C'en est fini de l'Écosse souveraine et en 1603, on célèbre l'union des Couronnes d'Angleterre et d'Écosse. C'est également ici que l'on trouve l'origine du surnom donné au drapeau anglais : l'union Jack. En 1707, l'Écosse appauvrie et désemparée accepte de signer le traité d'union des Parlements anglais et écossais. Il fut accueilli par une flambée d'agitation populaire. Mais le mal était fait et l'Écosse perdait son seul bouclier contre l'Angleterre : sa souveraineté.

CLEARANCES : LES EVICTIONS ET L'EMIGRATION

Une promenade dans le nord du pays offre une idée assez précise de ce que pouvait être la vie des paysans autrefois, pour peu que l'on ait l'œil alerte et l'âme vagabonde. Les gens vivaient loin de tout, sans voisins proches et ils passaient leur existence sans même se demander si le monde abritait d'autres terres que Barra, Lewis, Canna ou Mull. Chaque recoin de terre, aussi nue et stérile soit-elle, nous raconte une vie et les paysages mélancoliques frappent l'imagination. L'air frais et humide poussé par les vents d'ouest vous embataille les cheveux et fait tourner la tête ; pas besoin de whisky, l'enivrement est garanti. Promenez-vous dans les villages, interpellez les habitants, car même si vous ne comprenez pas leur parler, une langue rude teintée de gaélique, vous serez conquis par leur simplicité. Ici, le temps ne passe pas car il n'existe plus. Invité à boire un verre chez un paysan de l'île de Lewis, j'ai raté un de mes rendez-vous car mon hôte, un "dram" de whisky à la main, était ravi de pouvoir s'exprimer sur des sujets aussi divers que l'indépendance de l'Écosse, la destruction des forêts amazoniennes ou le tunnel sous la Manche…

Et puis, son regard s'est légèrement assombri en évoquant cette terre sur laquelle il avait bâti son existence. Une terre pauvre et acide, et pourtant tellement précieuse. Car ceux des générations précédentes ont dû lutter pour la conserver. Ils appartenaient à ces communautés insulaires restées à l'écart des évolutions techniques et des progrès industriels explosant en Angleterre à la fin du XIXe siècle. Ils étaient ceux que l'on appelle là-bas les "crofters". Ce terme est intraduisible car il correspond à un mode de vie traditionnel unique à l'Écosse. Le mot "croft" vient du gaélique et désigne un petit enclos de terre. Cette signification devient évidente lorsqu'on regarde l'évolution économique des régions concernées par ce mode de vie : on retrouve aujourd'hui des "crofts" dans le nord de l'Écosse et l'ensemble des îles, jusqu'aux Orcades et aux Shetland.

Le "crofting system" trouve ses origines dans le fonctionnement et l'évolution de la société écossaise au cours des siècles. Avant l'émergence des clans, on pensait qu'une occupation durable des sols donnait droit à une installation permanente sur ces terres, une sorte de tolérance d'occupation qui n'ouvrait pas, loin de là, de droits à la propriété. Cette situation mal définie entraîna des expro-

Les clearances

priations dramatiques durant cette période noire de l'Écosse que l'on désigne sous le nom d'éviction.

Lors de l'unification du royaume d'Écosse en 864 par Kenneth MacAlpine, roi des Scots, la terre était exploitée en commun et l'on considérait qu'elle appartenait à la tribu. Pendant ce temps, les Vikings envahissaient des régions entières des îles et du continent. Le royaume des Gaëls survécu mais se trouva affaibli par des incursions venant du Sud : les Angles, les Brittons et les Normands qui devaient ébranler la structure économique des Gaëls et imposer leur système social : le féodalisme. La terre n'appartenait plus à la tribu mais au roi. Le servage était né et allait perdurer pendant des siècles. Les guerres d'indépendance qui ont sévi en Écosse au XIIIᵉ siècle exaltèrent l'esprit patriotique des Écossais et cette volonté d'unification se traduisit par l'émergence des clans. Les serfs devinrent des tenanciers. Leurs chefs allouaient des terres à ces hommes qui, en retour, payaient une rente en nature et devaient se tenir prêt pour la bataille. Certes, ils avaient tout juste de quoi se nourrir, le blé et l'orge constituaient l'essentiel de leur alimentation et ils ne possédaient qu'une vache et quelques moutons pour la laine. Mais ils étaient sûrs de garder leurs terres et ils comptaient sur leurs chefs pour qu'ils leur rendent justice en cas de conflit. Ces terres étaient donc divisées de façon définitive en crofts et partagées entre les différents locataires. Seuls les pâturages restaient en exploitation commune. Cependant, la situation restait précaire et le sort des paysans ne pesa pas bien lourd dans la balance économique, lorsque les grands propriétaires terriens décidèrent de rentabiliser leurs terres du Nord, pauvres et non cultivables, en introduisant massivement des troupeaux de moutons résistants au climat et pouvant s'accommoder de bruyères et d'herbe rase.

La période victorienne et le triomphalisme de la société anglaise et de son système rigide de classes vint ajouter un autre argument aux évictions des paysans : l'appétit grandissant des lords écossais et anglais pour la propriété privée, le souci d'obtenir une terre, la peur d'en perdre devinrent une obsession démesurée. Obtenir un comté dans les Highlands et des hectares illimités de terres sur lesquelles on pouvait chasser et pêcher constituaient la stratégie du parvenu social ; et posséder une île était bien sûr le comble du luxe. Des régions entières des îles et des Highlands, abritant entre autres le cerf rouge ou le lagopède alpin furent fermées pour usage privé. Les hommes vivant sur ces terres devenaient au mieux des hommes de main, serviteurs ou chasseurs. Les aristocrates, chefs de clans puissants et spéculateurs avaient néanmoins le devoir de nourrir les habitants puisqu'ils les privaient de toute ressource économique en s'appropriant leurs terres, et pouvaient provoquer la révolte de gens trop longtemps exposés à la misère.

L'année 1828 amorça le début d'une longue série de vagues d'immigration forcée vers le Canada, l'Australie et la Nouvelle-Zélande. A ce drame humain, vint s'ajouter une crise économique sans précédent. En 1846-47-48, puis en 1850, les récoltes de pommes de terre furent ravagées par une épidémie. La misère se changea vite en famine à large échelle sans qu'aucun contrôle local ou remède ne puisse la soulager. Le gouvernement de Westminster refusa catégoriquement de financer ce marasme et créa un Département à l'Emigration. Certains chefs de clans pourtant, liés affectivement et moralement à ces familles occupant leurs terres depuis des générations se ruinèrent pour leur permettre de rester et leur assurer un minimum de subsistance, comme MacLeod de Dunvegan ou Lord MacDonald.

L'émigration était finalement la seule solution à la misère, à la surpopulation et à ses conséquences. Aucune région du nord de l'Écosse ne fut épargnée. Les "crofters" autorisés à rester devaient accepter toutes les contraintes et les interdictions imposées par leurs nouveaux propriétaires car l'effondrement du système de clan consécutif aux nouvelles donnes économiques laissa les gens démunis, avec l'opinion publique, la presse, la police, le gouvernement et même l'église contre eux. On les accusa de tous les maux : d'empêcher le bon fonctionnement des terrains de chasse, d'effrayer les touristes en fomentant des révoltes. Les paysans écossais étaient réputés pour leur gaieté de cœur et leur joie de vivre qu'ils exprimaient d'un bout à l'autre des Hébrides à travers leurs chansons, au travail ou pour se détendre au coin du feu. Au milieu du XIXe siècle, un silence de plomb s'abattit sur les Hébrides. Les gens avaient perdu leur entrain et leur optimisme.

Il faut savoir qu'aux yeux des Écossais du Sud et des Anglais, les "crofters" perpétuaient un mode de vie rural et archaïque contraire aux avancées industrielles et techniques de cette fin de siècle. Ils étaient la honte d'un pays, déjà divisés, le Nord contre le Sud, les traditions contre le progrès.

Les émeutes et les révoltes paysannes, notamment sur les îles de Lewis et de Skye, commencèrent à toucher l'opinion publique. A la fin du XIXe siècle, le gouvernement réalisa qu'il n'avait jamais pris ses responsabilités face aux problèmes des "crofters". Un rapport fut ordonné sur la condition paysanne et celui-ci fit état d'une situation de misère et de souffrances jamais égalées dans l'histoire du pays. Il est important de souligner que certaines barrières plus subtiles devaient nuire à la bonne compréhension entre les petits fermiers des îles et les autorités britanniques : un fossé évident existait entre le jargon parlementaire et une langue ancestrale, le gaélique. L'on a parfois affirmé avec lucidité que la langue gaélique éloignait certaines régions écossaises des préoccupations anglaises de façon bien plus effective qu'un océan de 5 000 kilomètres et que les Anglais savent mieux ce qui se passe à New York qu'à Lewis ou Skye.

On rédigea enfin en 1886 le "Crofter Act", l'Acte des droits du paysan. Cet Acte permit de constituer une commission chargée de superviser les droits des "crofters". Mais les solutions proposées par ses membres étaient radicales et contradictoires : certains affirmaient qu'il fallait encourager l'immigration afin de débarrasser l'Écosse des habitants indésirables, d'autres réalisèrent qu'une loi en faveur des petits tenanciers devait s'imposer, reconnaissant leurs droits et devoirs de citoyens britanniques... Quelle ironie ! Si un "crofter" décidait de partir, sa maison serait considérée comme ayant une certaine valeur, donc remboursable par le propriétaire terrien, mais s'il décidait de rester, son lopin reviendrait à ses descendants et sa maison resterait une propriété privée.

L'amélioration du sort des paysans fut très sensible. L'extrême pauvreté n'existait presque plus et les injustices se faisaient très rares. Pourtant, on réalisa que le "Crofter Act" perpétuait un système agricole improductif, en marge de l'évolution moderne de l'agriculture. Aujourd'hui, ces terres du Nord sont toujours exploitées en petites parcelles ("crofting land"), et elles n'apportent pas de profits réels mais permettent tout juste la subsistance autarcique d'une frange minoritaire de la population. Conséquence directe de ce système d'attribution quasi féodal des terres : la propriété privée est aujourd'hui extrêmement inégalitaire en Écosse ; environ 7 % d'Écossais détiennent 80 % des terres.

Plus récemment, dans les années 50, un sentiment de culpabilité sans doute amena le gouvernement à se préoccuper à nouveau du sort des "crofters" et de leur avenir. Porté par cette noble idée que le système des "crofts" mérite d'être préservé car il symbolise une vie "indépendante et libre", une commission des "Crofters" fut créée en 1955 pour répondre aux préoccupations des petits paysans : répartition des pâturages communs et administration des aides et des crédits. Certains spécialistes pensent même que cette organisation agricole du "crofting" est efficacement adaptée au pays et devrait être systématisée. Le Bureau de Développement des îles et des Hautes-terres créé en 1966 devait trouver un moyen d'assurer aux paysans et à leurs familles des revenus complémentaires à leur travail à la ferme. L'idée d'investir dans le tourisme et l'artisanat fut une bonne initiative et le touriste errant sur les routes d'Ecosse sera surpris par le nombre de "Bed and Breakfast" disséminés dans la lande. De nos jours, le "crofter" est protégé par des lois et des acquis sociaux qui assurent, à lui et à ses descendants, une existence relativement confortable ; il lui est permis d'acheter sa maison et sa terre afin d'encourager le développement et l'entretien des lopins mais cette solution est rarement choisie car les aspirations et les ambitions d'aujourd'hui ont changé. Les nouvelles générations aspirent à une autre vie, plus moderne et résolument tournée vers le monde.

LE GAÉLIQUE ÉCOSSAIS

La culture et la langue gaélique furent importées d'Irlande, probablement aux alentours du VIe siècle, date du début de la christianisation de l'Ecosse par un moine irlandais, Saint-Columba, et de l'invasion des Gaëls en provenance d'Irlande. Le gaélique écossais fait partie de la grande famille des langues celtes, quand la culture celtique était prépondérante en Europe vers le Ve siècle avant J.-C. Avec l'accession au trône d'Écosse de Kenneth MacAlpine, roi des Scots, la culture gaélique va dominer le royaume d'Alba pendant plus de deux siècles. C'était la langue des rois d'Écosse et des gens du peuple. Puis, au XIIe siècle, la culture et la langue anglaise amorçaient l'assimilation progressive des Scots du Sud tandis qu'au Nord, la société gaélique continuait à se développer, notamment sous la tutelle du seigneur des îles. Cette institution, dont le pouvoir était centralisé au sud-ouest de l'Écosse, émergea de la volonté des clans qui désiraient établir une influence politique, culturelle et religieuse sur l'ensemble des Highlands pour asseoir leur force et renforcer leur pouvoir. Elle permit également de "gaéliciser" les Hébrides, dont le nom signifie en gaélique "terre des étrangers", et prouve ainsi que les îles de l'ouest ont été les dernières à subir l'influence de cette culture. L'on remarque également que la culture gaélique est étroitement liée au système des clans, structure politique et sociale prédominante dans les Highlands jusqu'au milieu du XVIIIe siècle.

Aujourd'hui, environ 65 000 personnes en Ecosse parlent le gaélique, soit 1,3 % de la population, en majorité des communautés des îles de l'Ouest. En fait, entre 1951 et 1956, le nombre de personnes s'exprimant en gaélique a baissé de 70 % ! Cela provient du fait que les Highlands ont perdu à cette époque une grande partie de leurs habitants et que la désertification d'une région entraîne la disparition d'une culture. Les Écossais n'ont jamais prôné le retour à la langue gaélique, qu'ils considèrent pour la plupart comme arriérée, symbolisant un mode de vie rural sans avenir.

Pourtant, une petite minorité s'acharne à réhabiliter cette langue et à la faire connaître au plus grand nombre en ouvrant des classes spéciales au collège et en proposant des services religieux en gaélique dans les régions sensibilisées. Cela ne veut pas dire, loin de là, que cette langue connaît une renaissance significative mais, à travers ces efforts, le pays tente de poser les jalons d'une identité culturelle forte.

ET L'ÉGLISE DANS TOUT ÇA ?

Dans le domaine religieux, l'Écosse garde également son originalité : sa religion n'est pas inspirée par les premiers prédicateurs chrétiens mais par un évangéliste irlandais, Saint-Colomba, débarqué sur l'île d'Iona au VIe siècle de notre ère. Il y construisit un monastère qui devint un haut lieu religieux et le point de départ d'une grande vague de christianisation de toute l'Écosse. Le royaume scot de Dalriada connaîtra à cette époque un rayonnement spirituel sans précédent. Il est très important d'insister sur l'origine celtique du christianisme écossais car la culture qu'il véhicula était elle-même d'origine gaélique. Si le christianisme était venu du Sud, la culture engendrée aurait été anglo-saxonne. L'Eglise celte n'absorba pas la civilisation des hommes du Nord mais lui donna au contraire un fondement spirituel et intellectuel. La célébrité de Saint-Colomba apporta à la langue gaélique un prestige inestimable.

John Knox

Au XIIe siècle, l'Église se transforme et de nouveaux ordres religieux s'installent : les moines cisterciens s'installent à Melrose et dans tout le sud-est de l'Écosse. Le territoire est morcelé en paroisses et les richesses de l'Église s'accroissent, notamment grâce au soutien du pouvoir royal. Les rois savent bien que la prospérité de l'Église est un facteur de stabilité. Au XVIe siècle, apparaît John Knox sur la scène religieuse. Fervent disciple de Calvin et Luther, il prêche un protestantisme violent et s'oppose même au pouvoir monarchique, de tradition catholique. C'est la grande époque de la Réforme, la destruction des églises tombées sous l'influence de Rome telles que Melrose, Dryburgh ou Saint-Andrews, dont Stevenson a écrit : "Saint-Andrews, le joyau de la province, la lumière de l'Écosse médiévale, où aujourd'hui encore, après tant de siècles, la voix puissante du prédicateur John Knox n'a pas été étouffée". La création de l'Église réformée d'Écosse s'appuie sur la "Confession écossaise", texte rédigé par John Knox.

L'endoctrinement de la population est tel qu'elle est prête à prendre les armes pour défendre la cause covenantaire. Pendant cent trente ans, sous les harangues de John Knox et de ses fidèles, règne une intolérance religieuse destructrice, parfois meurtrière et qui s'apaise en 1690, date à laquelle l'Église presbytérienne d'Écosse est reconnue.

Il faut admettre que l'excellent niveau d'instruction dont bénéficia l'ensemble de la population est en partie dû à l'influence de l'Église presbytérienne qui n'hésita pas à multiplier les écoles afin que les jeunes soient instruits, donc dignes d'être membres de la communauté de Dieu. Le sociologue et scientifique Dc Johnson déclarait dans les années 1770 que le clergé des Hébrides possédait une éducation estimable et un haut degré de connaissances. Mais seules les classes sociales privilégiées en bénéficiaient.

En 1843, l'Église libre d'Écosse fut formée. Dans les Hébrides, on considéra cette initiative comme une protestation, bienvenue au laxisme du clergé, à son éloignement de la réalité des îles et à son acceptation tacite des oppressions et des évictions. Celles-ci étaient déjà en œuvre sur le continent sans aucune condamnation de l'Église. Le clergé avait trahi leur confiance. Il avait assisté au génoci- de de ses fidèles sans rien dire. Il avait même aidé, à certaines occasions, à rassembler les paysans et à les embarquer contre leur gré, condamnant impitoyablement les rebelles.

Les représentants de l'Église libre d'Écosse furent suivis avec un zèle incontrôlable par tous les paysans des Hébrides. Ils demandaient aux paroissiens de renouveler la condamnation des coutumes traditionnelles : les amusements les plus innocents devaient disparaître ; la cornemuse devenait une frivolité, les récits étaient faux et les chansons un signe de vanité. La danse était une tentation du diable, les expressions de joie et d'amusements devinrent indécentes. Les pasteurs zélés ont mainte- nu au XIXe siècle une rigueur dictatoriale et avaient le pouvoir de bannir des îles toute personne s'op- posant à la toute puissante autorité de l'Église. L'hospitalité traditionnelle des *îliens* n'en était pas affectée mais inconsciemment, leurs vies furent mutilées. Dans les îles catholiques plus tolérantes, le clergé considérait que la musique et les "ceilidhs" (désignent en gaélique le rassemblement des membres d'une communauté qui chantaient, dansaient et surtout préservaient, grâce aux récits, la mémoire des événements du clan) étaient importants pour nourrir la vie sociale et artistique des gens. Pour cette raison, les îles des Hébrides extérieures, South Uist et Barra surpassèrent Skye dans l'art de la cornemuse et le récit de sagas.

La concurrence entre les deux Églises eut pour conséquence bénéfique la course à la construction d'écoles. En 1825, le nombre de personnes analphabètes était de 70 %. Stimulé par ces chiffres alar- mants, le clergé, grâce à l'enseignement du catéchisme, fit tomber ce chiffre à 26 % dans les Hébrides extérieures en 1866, soit quarante ans plus tard, en construisant une centaine d'écoles. En 1872, l'Acte d'Éducation en Écosse fut promulgué. Des bureaux d'enseignement remplacèrent l'administration clé- ricale. La présence à l'école devint obligatoire jusqu'à l'âge de treize ans et l'école secondaire fut créée pour établir le lien entre l'école primaire et l'université. Ainsi, à la fin du XIXe siècle, le flot d'émi- gration que l'on observa était dû non plus à la misère et aux conditions économiques mais à de nou- velles perspectives de vie offertes par l'éducation.

L'Écosse et l'Angleterre ont maintenant deux religions différentes. Mais l'on peut dire qu'en Écosse, la religion a fortement marqué l'âme écossaise, en lui dictant une attitude de pensée extrê- mement austère et rigide.

Comme beaucoup de régions rurales, l'histoire des îles de l'Ouest est celle d'un long et doulou- reux dépeuplement et d'une incessante migration en quête de travail. Le nombre d'habitants y est inférieur à 30000 et beaucoup travaillent en dehors de chez eux. Autrefois, la marine marchande offrait des emplois saisonniers stables mais aujourd'hui, avec la diminution de la flotte, les hommes trouvent du travail dans l'industrie pétrolière et le bâtiment. Cette faculté d'adaptation distingue les hommes et les femmes des îles, habitués depuis des générations, à concilier le travail à la ferme avec un emploi sur les chalutiers, dans le commerce ou l'industrie de la laine. Depuis des siècles, cette flexibilité fut encouragée afin d'éviter aux populations de dépendre d'une seule source de revenus. Cet éventail d'activités professionnelles est une des richesses de la communauté rurale écossaise.

LA MER A L'INFINI...

Les Écossais sont avant tout des gens du terroir, ils ont hérité de traditions liées au sol, aux moutons et aux récoltes. On peut sans doute expliquer cela par un héritage historique où les Pictes, Gaëls et Scots étaient d'abord des guerriers et défendaient leur territoire face aux envahisseurs, mais aussi par l'attachement aux ancêtres, à leur vénération et par la symbolique liée à la terre, mère féconde d'une patrie. Dans ce contexte, la mer étendue à l'infini et principale frontière du pays représentait un danger permanent. Celui des envahisseurs et par extension, celui de la mort. On découvre alors bon nombre de superstitions qui lui sont attachées. La mythologie celtique attribue aux phoques des pouvoirs surnaturels ayant un impact puissant sur les hommes. Ils sont capables de se débarrasser de leur peau pour prendre une apparence humaine, ou bien se transformer en sirènes pour attirer les hommes dans les flots.

Contrairement aux Norvégiens ou aux Japonais et malgré un territoire littéralement cerné par la mer, les Écossais n'ont jamais considéré le poisson comme une ressource essentielle à leur survie. L'alimentation des habitants de Saint-Kilda en est le meilleur exemple. Autrefois, les habitants des îles Hébrides, bien que peu versés dans l'art de la pêche, regardaient d'un mauvais œil l'intrusion des pêcheurs étrangers. Au XVIᵉ siècle par exemple, les bancs de harengs des lochs de la côte ouest attiraient des bateaux d'Angleterre, de France, des Flandres et d'autres parties de l'Écosse. Le poisson était pêché en abondance dans les eaux écossaises : hareng, cabillaud, lotte, morue, et les lochs d'eau de mer fournissaient du homard, des crevettes et des langoustines en quantités généreuses et inépuisables.

Notre ami Dave n'a pas connu cette époque mais il sait que parfois, il est difficile de bien vivre avec son petit bateau et ses quelques filets. Chaque matin, à l'aube, tous les jours de l'année et par n'importe quel temps, il va relever les filets dans les eaux peu profondes du Loch Sunart. Il a constaté une diminution progressive du nombre et de la taille des langoustines. Les petits crabes, eux, prolifèrent encore dans ces eaux vaseuses mais pour combien de temps ? Conscient de la précarité de sa situation, Dave a suivi une formation d'ambulancier, métier qu'il exerce en alternance. Pour lui, il n'a pas d'avenir dans la pêche. Il sait, par son expérience de la pêche en haute mer que les conditions ont changé. D'année en année, les pêcheurs traditionnellement basés sur la côte est de l'Écosse s'aventurent de façon presque systématique vers les eaux de l'Atlantique. Car à l'est, il n'y a plus de poisson. L'industrie de la pêche en Écosse est confrontée à un problème alarmant auquel diverses solutions sont proposées : la création de fermes d'élevage (saumons, daurades, crevettes, homards), mais l'on sait déjà par expérience que celles-ci amèneraient de nouvelles inquiétudes : pollution, chômage et appauvrissement de certaines espèces de poissons utilisées de façon industrielle dans l'alimentation des espèces d'élevage.

La Communauté Européenne mise depuis 1991, sur l'élaboration d'une législation très stricte en matière de protection de la mer. La mise en place de quotas de pêche est la solution la plus logique pour répondre au déclin alarmant des réserves de poissons et au nombre croissant des bateaux de pêche. Aujourd'hui, les techniques de pêche les plus raffinées sont mises à la disposition des pêcheurs : l'électronique permet de repérer les bancs de poissons grâce à un radar qui balaie les fonds marins et évalue la taille des prises, alors, quelles sont les chances de survie réservées aux poissons face à cette haute technologie ?

LES CLANS

Au XVIIIᵉ siècle, les Highlands sont restées socialement et politiquement à l'écart du pays. Le rude Highlander qui parle la langue gaélique, porte un kilt de couleur brune ou ocre et commence à porter le nom de son chef de clan. Il est doué pour le brigandage et n'hésite pas à s'aventurer dans le Sud pour voler le bétail de ses voisins ou délester les voyageurs de leur bourse. Contrairement à ses sujets, le chef de clan est souvent très civilisé, parle plusieurs langues et voyage beaucoup. Son pouvoir est tout puissant et il détient sans condition le droit de vie ou de mort sur chacun de ses sujets.

Le système de clans a hérité d'un système féodal copié sur le modèle européen et remonte probablement aux environs du XIIᵉ siècle. A cette époque, la pyramide féodale fondée sur la possession et la redistribution de la terre n'élimine pas l'ancienne organisation horizontale celtique dans laquelle les individus, descendants d'un ancêtre commun, se groupaient par familles en reconnaissant le pouvoir d'un chef dominateur et influent.

Le "clan" dérive du mot gaélique "clann", signifiant enfant. Qui dit clan dit parenté, du moins à l'origine. Un clan est une famille et, au moins en théorie, le chef de clan est un chef de famille, réputé pour sa bravoure et sa sagesse. Cette structure sociale n'est particulière ni aux Highlands, ni même à l'Écosse, mais elle y a survécu plus longtemps que partout ailleurs et elle y a laissé une trace de solidarité familiale qui cimente à jamais l'unité du clan, surtout dans les montagnes et les îles de l'Ouest. A la tête du clan, le chef est propriétaire des terres. Les membres d'un clan n'étaient pas tous parents car on acceptait les étrangers. De ce fait, il n'existait pas forcément de liens de parenté entre un chef de clan et ses membres. Ainsi, appartenaient à un clan tous ceux qui reconnaissaient l'autorité d'un chef et se mettaient à son service. Les clans modernes voient dans leur nom une marque d'authenticité mais, avant le XVIIᵉ siècle, dans les Highlands, ces noms de famille n'existaient pas ou, tout du moins changeaient-ils d'une génération à l'autre, c'est-à-dire d'un chef de clan à l'autre. Les membres d'un même clan n'avaient donc pas forcément, et loin de là, le même nom.

A l'origine, le clan s'est donc bien formé par un mélange de liens de parenté et de relations de bon voisinage. Le lien territorial était important et le devint plus encore avec le système féodal qui était basé sur la possession de la terre. Celle-ci appartenait en propre au chef de clan auquel les

LA BATAILLE DE CULLODEN EN 1746

La bataille de Culloden est sans doute l'événement le plus marquant de toute l'histoire écossaise. En 1746, le trône est occupé par George Iᵉʳ de Hanovre. Des soulèvements jacobites, partisans de la cause des Stuart, ont lieu un peu partout dans le pays. Ils sont menés par un jeune prince fougueux, Charles Edouard Stuart. En quelques semaines, il rassemble autour de lui des chefs de clans highlandais, forme une armée et provoque les Anglais sur le célèbre champ de bataille de Culloden. Beaucoup de clans étaient présents mais tous n'étaient pas menés par leur chef. Certains clans, en effet, étaient là contre l'avis de leur chef. Il y avait les Cameron, les Drummond, les MacDonald, les Ferguson, les Fraser, les Grant, les Gordon, les MacLeod, Robertson et autres MacPherson. Malgré leur enthousiasme et leur courage, portés par leurs cris de guerre "fils de chiens, venez chercher de la viande", ils seront massacrés en moins d'une heure.et des mesures draconiennes seront prises pour éradiquer l'âme même du Highlander : interdiction de porter le kilt et le tartan ainsi que toute forme de vêtement particulier à la Haute-Ecosse, désarmement total des hommes, interdiction de jouer de la cornemuse, considérée comme une arme et même de parler le gaélique, langue des rebelles et des dégénérés. Cette bataille mit fin à l'espoir des Stuart de regagner le trône.

THE BATTLE OF CULLODEN WAS FOUGHT ON THIS MOOR 16TH APRIL 1746.

membres payaient un loyer. On peut encore aujourd'hui constater la prédominance d'un nom sur un territoire donné, territoire sur lequel autrefois, un chef de clan exerçait son influence. Cependant, le chef devait à son tour signer une charte qui lui accordait un droit légal sur sa terre vis-à-vis de la Couronne. Un chef de clan indigne se voyait confisquer ses terres par le roi. On raconte que Jacques VI, fils de Marie Stuart, sous prétexte de récupérer des terres sur les îles de Skye et de Lewis occupées par le chef des MacLeod ordonna une "colonisation" par des gens venus des basses terres et justifia son geste en déclarant que "les gens des hautes terres sont sauvages avec un semblant de civilité et ceux des îles sont tout à fait sauvages" et qu'"il convient de les traiter comme des loups et de déporter cette engeance barbare en implantant des colonies de sujets responsables".

Cependant, le système des clans qui sembla faire la force de l'Écosse et sa profonde originalité joua un rôle non négligeable dans la perte de sa souveraineté politique, et son rattachement à la Grande-Bretagne. Leurs querelles incessantes pour l'acquisition de territoires, leur fidélité à différents suzerains qui n'hésitaient pas à appliquer le célèbre dicton "diviser pour mieux régner", empêcha la population de former une nation solide et durable.

Bataille de Culloden

"Mon pied est ferme sur mes landes natales et je m'appelle Rob Roy MacGregor !". L'histoire en a fait un héros, incarnant de la façon la plus romantique le rêve écossais. Rappelé au goût du jour par un célèbre film hollywoodien et rendu célèbre autrefois sous la plume de Sir Walter Scott, l'histoire de Rob Roy est une métaphore poétique de la lutte du plus faible contre la cruauté du plus fort. En réalité, le clan MacGregor était moins vertueux que l'histoire a bien voulu le faire croire et il était même considéré par les gens "civilisés" des terres du Sud comme une bande de hors-la-loi et de sauvages recherchés par les autorités. Sur ordre du roi, le nom des MacGregor fut banni et il était interdit aux membres du clan de l'utiliser. Cette interdiction était la conséquence du massacre des membres du clan Colqhoun par les MacGregor : l'hospitalité leur ayant été refusée, les MacGregor volèrent un mouton mais furent capturés et exécutés. En guise de représailles, le clan MacGregor massacra près de 800 des Colqhoun. La demi-mesure n'était pas leur fort ! Hostile à tout compromis avec les Anglais, Rob Roy affirmait son identité en portant le kilt, le béret, le "claymore", la fameuse épée écossaise et en jouant de la cornemuse, tout cela malgré le décret d'interdiction qui suivit la bataille de Culloden d'arborer le moindre emblème national.

CLAN .... TARTAN ?

Le mot "tartan" dérive du vocable français "tiretaine" qui désigne un tissu de laine coloré. De la même façon, le français a emprunté au gaélique le plaid, terme générique pour désigner une grande couverture. Les Celtes utilisaient déjà cette couverture pour se protéger des rigueurs du climat. Mais ce n'est qu'au XVIe siècle qu'apparaît le plaid ceinturé : sept mètres de tissu plissé, resserré à la taille par une ceinture afin de former une jupe et retenu à l'épaule par une broche. Ce plaid leur servait de couverture pour dormir, souvent à la belle étoile, et ils n'hésitaient pas à le plonger dans le ruisseau avant de s'en envelopper : il paraît que la laine ainsi gonflée d'eau garde mieux la chaleur ! Le plaid ceinturé constituait le vêtement quotidien de l'homme appartenant à un clan tandis que la noblesse des Highlands ne le portait qu'en certaines occasions.

A cette époque, la signification du tartan et de ses couleurs n'était pas vraiment définie. En fait, les premiers tartans étaient simplement teints avec des couleurs naturelles, celles que l'on pouvait trouver dans la nature : la bruyère, le lichen, la tourbe, la paille ou encore les feuilles de bouleau. Cela favorisait le camouflage et un tartan brun foncé dissimulé dans la bruyère était indécelable. Pendant les combats, les troupes, pour se reconnaître, portaient au bonnet une fleur, une plante ou une petite branche facilement identifiable : les MacDonald, un brin de fougère ou les MacGregor, une branchette de pin. Faute de représenter un clan, la couleur des tartans permettaient d'identifier à peu près l'origine géographique d'une personne. Il est très probable que l'apparition de la simple jupe que l'on connaît aujourd'hui (le kilt moderne) et pour laquelle on utilise beaucoup moins de tissu soit le résultat de restrictions économiques. Et pendant la bataille, il etait aussi très pratique de pouvoir retirer sa chemise tout en gardant la jupe... Cela évitait les démonstrations indécentes ! Bref, le kilt, et donc le tissu tartan étaient portés de façon quotidienne par la population des Highlands jusqu'à la bataille de Culloden. Faut-il d'ailleurs préciser que le Highlander détestait les vêtements des Basses-Terres (c'est-à-dire le pantalon) qu'on l'avait forcé à porter. Il trouvait bien plus commode de porter une jupe qui le laisse libre de ses mouvements et sèche bien plus rapidement qu'un pantalon. Puis, sont venus s'ajouter des accessoires devenus indispensables à la tenue : les guêtres qui protègent les chaussures de la pluie, le couteau glissé dans la chaussette, le "sporran", sorte de bourse en cuir, la broche qui

DRUMMOND

retient le kilt, frappée aux armes du clan, la veste à épaulettes qui rappelle la tenue militaire du XVIIIe siècle.

Quant aux couleurs des clans, il semble que cette association des clans avec leurs couleurs soit assez récente. On sait que le résultat de l'union des Parlements d'Angleterre et d'Écosse, réduisant celle-ci à l'état de province, donna un formidable coup de fouet au tartan qui symbolisait le refus de l'union et l'appartenance à une culture. Une véritable ségrégation s'en suivit, non seulement de la part des Anglais, mais également des Écossais du Sud, partisans de l'union. Ceux d'entre eux qui revendiquaient l'autonomie de l'Écosse, manifestaient leur soutien aux Highlanders en portant le kilt aux couleurs des jacobites. Après Culloden, tout signe d'appartenance à un clan fut banni : pire, toutes traces de la culture gaélique propre à l'Écosse du Nord devait être éradiquée : armes, cornemuses, langue et chansons. L'Acte de Proscription de 1747 déclarait : "Aucun homme dans cette partie de la Grande-Bretagne que l'on appelle Écosse ne devra, sous aucun prétexte, porter ce que l'on nomme le costume des Highlands, c'est-à-dire le plaid, le kilt, les broches, en résumé tout ce qui compose le dit costume, ni porter un tissu tartan ou coloré de cette façon, pour quelque usage que ce soit". Ainsi, que pouvait bien porter le pauvre bougre perdu au fin fond des Highlands, en supposant même qu'il ait pu entendre parler de cette loi ? L'écrasement de l'Écosse était total, seul restait l'esprit ce qui, malgré toutes les souffrances, était peut-être le plus important...

L'Acte de Proscription fut abrogé en 1782. Il fallut du temps pour voir réapparaître le costume des Highlanders qui bénéficia de la grande vague de littérature romantique et chevaleresque incarnée par les héros de Sir Walter Scott. Le tissu tartan fut remis au goût du jour par le roi George IV, puis par la reine Victoria qui tomba littéralement amoureuse de tout ce qui composait les Highlands : les paysages, les tartans, le kilt, les habitants. Les Highlands représentaient le lieu à la mode et, à cette époque, l'on rédigea pas moins de six livres sur les différents tartans dont la plupart furent inventés pour la circonstance. En 1831, il n'existait que cinquante-cinq tartans ; il y en a maintenant plus de quatre cents et il en sort de nouveaux tous les mois. Le tartan est redevenu, non plus un vêtement de tous les jours mais un symbole, l'habit de lumière du peuple écossais.

SAINT-KILDA :
L'ÎLE AU BORD DU MONDE

J'aimerai vous parler d'un endroit qui m'est cher, une perle nichée au creux de l'océan, une île verdoyante battue par les vents, celle qu'on appelle l'île au bord du monde : l'archipel de St-Kilda. Situé aux confins de l'Europe, à cent cinquante kilomètres au large des côtes écossaises, il se compose de quatre îles principales dont la plus importante, Hirta, fut habitée pendant près de 2 000 ans.

Autrefois, et pendant plusieurs millénaires, des hommes et des femmes vécurent à Saint-Kilda. Ils y ont mené une existence unique et immuable. Bien que cernés par des eaux regorgeant de poissons, leur subsistance était assurée exclusivement par la consommation d'oiseaux de mer : pétrels fulmars, fous de Bassan et macareux peuplant les îlots voisins. Leur mode de vie communautaire, sorte de communisme idéal, est longtemps resté, et presque jusqu'à la fin, à l'écart des soubresauts de nos sociétés modernes. Ils possédaient cette qualité fondamentale commune aux minorités ethniques de considérer que le bien-être du groupe était la clé de leur survie individuelle. Les Saint-Kildans étaient quasiment ignorants de ce qui pouvait se passer en Ecosse, au Royaume-Uni et a fortiori dans le reste du monde. Ils n'avaient en fait qu'une très faible idée de ce que pouvait être la vie ailleurs. Leur isolement leur conféra une vision unique de la vie et de leur place dans le monde.

Le voyage à Saint-Kilda est long, difficile et il n'est pas un aller ou un retour sans mauvaise mer. La houle et les tempêtes font partie de ces espaces sauvages, où seuls retentissent les cris des mouettes et l'appel du vent. L'accostage s'effectue au sud-est

de l'île, à Village Bay dans une anse de sable fin aux allures de paradis. Il est pourtant prudent de ne pas se fier à ces apparences redoutablement trompeuses. Un vent de sud-est peut se lever en quelques heures et rendre toute tentative de débarquement impossible et parfois dangereuse. Il ne reste plus qu'à se réfugier dans un port des Hébrides extérieures, Lochmaddy ou Stornoway, et attendre à nouveau des conditions favorables.

Arriver à Saint-Kilda, c'est faire un grand pas en arrière, plonger dans un passé millénaire. Les petites huttes de pierre, les "crupa" que l'on aperçoit du rivage évoquent l'héritage préhistorique de la petite communauté et nous parlent de nos propres ancêtres aux mœurs tellement similaires. J'ai foulé le sol de Saint-Kilda et une émotion intense m'a envahi : c'était en quelque sorte mes premiers pas sur ma lune à moi, si belle, si sauvage et à nouveau inviolée. J'ai escaladé ses collines aux formes généreuses, arrondies par les tempêtes et barrées de précipices vertigineux, j'ai caressé les murs de pierre de leurs maisons, j'ai fermé les yeux et essayé de revivre intérieurement la rude existence de ses habitants.

La vie des Saint-Kildans n'a jamais été facile, comme tout peuple confronté aux rigueurs d'un climat capricieux et violent pouvant anéantir leurs maigres ressources, mais leur mode de fonctionnement pouvait à bien des égards faire penser au pays d'*Utopie* imaginée par Thomas More au XVIe siècle. Il décrivait en effet une "cité insulaire idéale dont la population vit dans une sorte de communisme platonicien".

L'île fut probablement occupée il y a 4 000 ans et des invasions successives, notamment des Vikings, puis des habitants des îles de l'Ouest ont assuré la stabilité de la population et le renouvellement de son sang. Le nombre d'habitants atteint un maximum de deux cents dans les années 1600 pour fluctuer par la suite sur une moyenne de cent. Le premier témoignage, et par là même la première découverte des Saint-Kildans, remonte en 1697, date à laquelle Martin Martin publia sa "chronique des remarquables habitants de Saint-Kilda, leur beauté, leur chasteté, leur génie pour la poésie, la musique, la danse, leur dextérité à escalader les falaises et les murs de leurs maisons". A la fin du XVIIe siècle, leur innocence et leur naïveté étaient célébrées par certains poètes, fascinés par tant de candeur et de fragilité.

En vérité, le tableau était moins idyllique et leur existence sur l'île, rythmée par les accidents, les épidémies et les famines n'était possible que grâce à la tutelle du chef des MacLeod. Propriétaires de l'archipel pendant plus de huit siècles, les MacLeod assuraient la subsistance des habitants en période de disette. Ils firent tout ce qui était en leur pouvoir pour venir en aide à leurs lointains tenanciers : construction de maisons modernes dans les années 1860, entretien du village, de l'école et de l'église. En échange, ceux-ci devaient s'acquitter d'une dette en nature qui était généralement modique (laine, huile de pétrel fulmar, fromage, orge, vêtements en laine et plumes d'oiseaux) et qu'ils payaient à l'intendant, débarqué sur l'île une fois l'an pour l'occasion. De plus, la persistance de liens féodaux qui unissaient la communauté aux MacLeod assuraient aux Saint-Kildans d'être approvisionnés en vivres et en semences, le seul problème étant de les acheminer. Le statut des MacLeod appartenait à l'ordre féodal ancien et en cela, ils bénéficièrent tout au long de leur tutelle du respect et de l'affection des habitants.

Le village était construit au pied de la seule baie de l'île, improvisée en débarcadère lorsqu'il s'agissait de partir en mer. Faisant face à l'océan, les maisons de pierres sèches et au toit de tourbe et de paille étaient disposées en ligne, bravant les vents violents en provenance de l'Atlantique. Cette disposition inhabituelle à nos yeux avait pour avantage d'offrir le moins de prise possible aux grains en empêchant la bise de s'engouffrer et de tournoyer au milieu des maisons. Les coins arrondis des murs laissaient glisser le vent au lieu de le contrer. On dénombre trente cinq maisons qui furent plus ou moins habitées au cours des siècles, le nombre d'habitants étant très fluctuant. L'intérieur était tout noir de suie, ce qui valut à ces maisons le nom de "black houses" (maisons noires), et l'air confiné était imprégné d'une forte odeur de tourbe. Il n'y avait ni fenêtres, ni cheminées ; un feu brûlait en permanence et sans aération au milieu de la pièce, ce qui permettait aux habitants d'aller librement autour du feu. Le mobilier de chaque maison était fonctionnel et rudimentaire et en fait, les habitants mangeaient et dormaient à même le sol sur des matelas en paille. Pendant les mois d'hiver, ils partageaient leur maison avec le bétail, ce qui avait l'avantage de procurer un peu de chaleur et surtout de l'engrais, précieux pour les récoltes de printemps. Les familles, composées en général de huit à dix enfants, s'entassaient en hiver dans leurs habitations et vivaient les uns sur les autres. Ces maisons noires furent remplacées en 1836, puis à nouveau en 1860, par de nouvelles maisons en utilisant deux nouveaux matériaux : du bois et du verre et en introduisant des âtres de cheminées.

Femmes de St-Kilda (photo GWW, collection 19)

Soumis à des conditions climatiques souvent très violentes, en première ligne face aux tempêtes qui déferlent de l'Atlantique Nord, ils ne pouvaient compter sur leurs maigres récoltes d'orge, de choux ou de pommes de terre, pourries par les embruns ou dévastées par les tempêtes fréquentes. Il ne leur restait plus qu'à se tourner vers la seule source de nourriture invariablement disponible sur l'archipel : les oiseaux marins.

Chaque matin, tous les hommes adultes de l'île se rassemblaient en plein air pour répartir les tâches de la journée. Cette réunion quotidienne constituait la meilleure manière d'informer chacun du lieu où les autres membres de la communauté pouvaient être trouvés pendant la journée. Elle permettait également de maintenir la cohésion du groupe et de renforcer les liens entre les individus. Cette réunion pouvait durer toute une journée sans qu'une quelconque décision ait été prise et chacun de rentrer chez soi. En période de chasse aux oiseaux, elle était écourtée, parfois annulée, car le rendement devait être maximum.

Les Saint-Kildans apprenaient à escalader les rochers dès leur plus tendre enfance. Ils étaient tous destinés à devenir, une fois adultes, des hommes trapus et agiles, capables d'escalader des falaises vertigineuses. Pendant près de neuf mois de l'année (de mars à novembre), les Saint-Kildans se consacraient presque exclusivement à la chasse aux oiseaux. Dès le mois de mars, les macareux revenaient nicher par centaines de milliers sur les falaises d'Hirta et de Dun. Les fous de Bassan eux, rentraient en janvier mais n'étaient chassés qu'à partir d'avril. Puis, en mai, c'était le tour des pétrels fulmars qui constituaient à l'époque, la seule colonie de Grande-Bretagne. Les œufs des fous de Bassan et des macareux étaient également récoltés par milliers, sachant que les femelles de ces espèces remplaceraient les œufs volés.

La chasse des oiseaux marins s'apparentait à un véritable massacre, puisqu'ils constituaient la subsistance essentielle des habitants durant tout l'hiver. Un témoin de 1819 raconte "l'air est empli de bêtes à plume et toute chose ici sent la plume. La mer, les maisons, le sol et les habitants en sont couverts". En 1697, un voyageur calcula que les cent quatre vingt habitants de l'île consommaient 16 000 œufs et 22 600 oiseaux chaque année, chiffres impressionnants qui montrent l'importance d'une chasse fructueuse. Le nombre d'oiseaux tués par habitant resta, au long des siècles, relativement stable, soit environ cent vingt oiseaux par personne et par an. Peu à peu, le pétrel fulmar vint à supplanter le fou de Bassan dans l'alimentation quotidienne des îliens. Cet oiseau, en effet, offrait de multiples utilisations : les plumes servant à payer la redevance annuelle, l'huile provenant de leur estomac était utilisée comme remède contre divers maux ainsi que pour l'éclairage, et même les becs pouvaient servir de chevilles pour fixer les toits des maisons. D'ailleurs, les habitants eurent tôt fait de constater que le nombre de fous de Bassan diminuait d'année en année, anéantis sans doute par des siècles de chasse intensive.

Les préparatifs de la chasse obéissaient à une organisation rigoureuse : les femmes s'assuraient qu'elles avaient moulu assez de grains pour nourrir leur famille pendant la période de chasse, les hommes sortaient les vieux tonneaux qui allaient servir à stocker les oiseaux pendant tout l'hiver, le sel qui servait à conserver les carcasses était distribué à chaque famille et les gésiers des fous de Bassan étaient gonflés et séchés afin de recueillir l'huile des pétrels fulmar. Les hommes vérifiaient l'état des cordes qui allaient leur servir à descendre sur les falaises et décidaient des premières falaises à visiter.

Le 12 août marquait l'ouverture de la chasse aux pétrels fulmars. Hommes, femmes et enfants se rassemblaient au sommet des falaises et le travail commençait, pénible, épuisant et dangereux. Chaque équipe travaillait par deux, l'un s'accrochant la corde autour de la poitrine pendant que l'autre se laissait descendre dans le vide. Chacun pouvait tuer environ vingt pétrels fulmar avant d'être obligé, à cause du poids, de remonter la charge à son compagnon. Quand les hommes atteignaient le bas des falaises, dont la hauteur pouvait s'élever à trois cents mètres, il leur était plus facile de jeter les carcasses à l'eau où une équipe les recueillait. Une des grandes difficultés consistait à surprendre les fulmars dans leur nid avant qu'ils ne réagissent en crachant sur leurs agresseurs l'huile nauséabonde contenue dans leur estomac, fort précieuse pour les Saint-Kildans. Il fallait littéralement leur tordre le cou pour retenir l'huile dans l'estomac. Les charges étaient ramenées au village par les femmes et le soir, on effectuait la répartition entre les familles. Les prises étaient distribuées de façon strictement égale en fonction du nombre de personnes. Chacun rentrait chez soi et le travail de nettoyage et de plumage commençait. Les oiseaux étaient alors vidés, salés et disposés dans les tonneaux. Chaque famille devait obtenir à la fin de la chasse deux tonneaux remplis de fulmars salés, nécessaires à leur subsistance durant l'hiver.

Avant l'utilisation du sel comme moyen de conservation, denrée chère et rare, les îliens construisirent des centaines de petites niches en pierre appelées "cleits", dont les interstices permettaient aux oiseaux pendus à l'intérieur de sécher et de se conserver grâce au vent. De façon plus générale, ces constructions servaient à conserver tout ce qui devait être préservé de l'humidité comme les cordes, les plumes, les vêtements, et servaient aussi à sécher les mottes de tourbe. Ces petites huttes de pierres sèches parsèment encore les alentours du village telles des demeures de gnomes, immobiles devant l'éternel.

Pendant des siècles, les Saint-Kildans ne durent leur survie sur l'île qu'à la présence des fulmars et des fous de Bassan, et malgré les hécatombes dont les oiseaux étaient victimes année après année, ils ne désertèrent jamais les falaises. On a pu dire à propos des Saint-Kildans qu'ils étaient les hommes les mieux nourris de la terre. Cette idée était certainement exagérée mais il est vrai que les habitants d'Hirta possédaient exactement tout ce dont ils avaient besoin pour vivre… Du moins jusqu'à ce que les circonstances les privent peu à peu de ce strict nécessaire.

En complément de cette nourriture, la culture de leurs maigres lopins de terres leur causait bien plus de tracas que les expéditions sur les falaises. Les embruns empêchaient l'épanouissement des récoltes et l'orge, l'avoine, et les pommes de terre poussaient en petites quantités au prix d'un travail éreintant. Les moutons de Soay constituaient l'essentiel de leurs troupeaux ; cette race indigène et unique à Saint-Kilda, descendant direct du mouflon était vraisemblablement présente sur l'île dès l'époque néolithique. Les moutons étaient élevés principalement pour leur laine et le tweed de Saint-Kilda avait acquis une grande réputation sur le continent. On ne les consommait qu'en des occasions exceptionnelles, lors d'un mariage, d'un enterrement ou pour accueillir des étrangers, les Saint-Kildans étant renommés pour leur hospitalité.

Paradoxalement à leur situation géographique, la pêche ne représentait qu'une activité accessoire dans la recherche de nourriture. En effet, les habitants, outre le fait de trouver leur subsistance sur les falaises, rechignaient à braver le danger une deuxième fois en s'embarquant à bord de petits

DIVIDING THE CATCH OF FULMAR, ST. KILDA. 6188. G.W.W.

canots sur une mer souvent mauvaise. Par ailleurs, et c'est ma foi une autre bonne raison, ils n'aimaient pas le poisson, trop sec à leur goût. Ils prétendaient qu'à chaque fois qu'ils en mangeaient, ils avaient des éruptions sur la peau !

A mesure que les contacts avec la terre ferme se multipliaient, les Saint-Kildans virent peu à peu leur mode de vie traditionnel se modifier. La dépendance au monde extérieur s'accrut, tout en étant jusqu'à la fin limitée par les difficultés de communication et d'acheminement des vivres.

Saint-Kilda se tenait à l'écart des voies de commerce maritimes et l'arrivée d'un chalutier ou d'un navire cherchant refuge dans la baie était accueillie avec enthousiasme ; mais jusque dans les années 1830, les Saint-Kildans étaient tellement coupés du reste du monde que lorsqu'un bateau pénétrait dans la baie, ils s'enfermaient dans leurs maisons, croyant à une invasion. Ils ne connaissaient pas les évènements historiques du monde et d'ailleurs, ne pouvaient pas comprendre pourquoi les hommes se battent. Dès lors, un bateau se profilant à l'horizon était toujours pour les Saint-Kildans un espoir à l'amélioration de leur pauvreté grandissante. Quand un navire ou un bateau de pêche accostait et après les préliminaires d'accueil, les Saint-Kildans se regroupaient autour du maître d'école afin qu'il traduise en anglais leurs requêtes aux nouveaux arrivants : "nous espérons qu'à votre retour, vous ferez quelque chose pour les pauvres habitants de cette île". Le thé, le sucre et le tabac étaient distribués, parfois du fil, des aiguilles, des agraffes et des dés à coudre.

Lorsqu'en 1838, le Vulcain embarqua trente-six passagers pour une excursion à Saint-Kilda, l'histoire de l'île amorçait un tournant décisif. Le but essentiel de ce voyage était d'abord spirituel. Le révérend MacLeod venait enseigner aux Saint-Kildans l'éducation religieuse, depuis les sermons jusqu'à la communion. L'église avait été construite quelque huit ans plus tôt sous l'autorité du révérend MacKenzie, premier pasteur en résidence permanente sur l'île.

De toutes les influences qui laissèrent leurs empreintes sur les esprits des habitants d'Hirta, celle de la religion contribua le plus à façonner leur destinée. Tout comme les peuples celtes, les Saint-Kildans entretenaient un contact étroit avec l'esprit des morts. Jusqu'au début du XIXᵉ siècle, leurs croyances émergeaient d'un creuset religieux où se mêlaient le catholicisme et le druidisme. Pour eux, les âmes habitaient les rochers, les ruisseaux, les fleurs, en fait toute chose de la nature. En conséquence, leurs superstitions étaient grandes et leurs âmes naïves, une matière extrêmement malléable pour les missionnaires issus du schisme de l'Église catholique écossaise.

Les premiers missionnaires débarquèrent au début du XIXᵉ siècle et imposèrent, jusqu'à l'évacuation, un ordre moral plus ou moins rigide dans le cœur et l'âme des Saint-Kildans. C'était à eux qu'il revenait d'apprendre aux habitants à distinguer le bien du mal. Le fatalisme et l'ignorance des habitants les rendaient hautement vulnérables à toute influence extérieure. On peut affirmer que ces nouvelles croyances étaient totalement inadaptées à la vie des Saint-Kildans, proches des dangers et de la mort, et, allaient bien au-delà de leurs aspirations, en matière de sécurité spirituelle. Ce rigorisme religieux qui dura près d'un demi-siècle réduisit les îliens à de véritables esclaves, mina leur combativité et leur ôta ce qui les tenait sur leur rocher depuis des siècles : leur joie de vivre.

Un autre élément déterminant dans le déclin progressif de la population est l'introduction du système éducatif dans la vie des Saint-Kildans dès 1709. Le rôle de maître d'école était dévolu au pasteur qui devait "apprendre aux enfants à lire, notamment la sainte Bible et autres livres bons et pieux, et enseigner l'écriture, l'arithmétique et autres branches du savoir dans les Highlands, les îles et autres contrées reculées de l'Ecosse, et user de tous les moyens qu'il jugera nécessaires pour l'instruction du peuple dans la religion chrétienne réformée". Les rudiments d'instruction que possédaient alors les Saint-Kildans se transmettaient en gaélique par tradition orale, d'une génération à l'autre. Une loi de 1872 mis fin au système d'éducation paroissiale et les instituteurs se succédèrent à Saint-Kilda, chacun devant remplir son devoir d'éducation pendant un an. Dans la situation des Saint-Kildans, l'apprentissage au monde extérieur ne pouvait qu'être une source de frustrations et ils s'imaginaient la vie ailleurs plus facile et confortable. En 1888, la plupart des écoliers déclarèrent qu'ils quitteraient l'île dès qu'ils le pourraient.

L'anglais resta jusqu'à la fin une langue étrangère, même si les habitants étaient amenés à l'utiliser de plus en plus, à mesure que les contacts avec le continent s'intensifiaient et que les touristes en mal d'exotisme envahissaient l'île durant les mois d'été. A la fin du XIXe siècle, Saint-Kilda devint une véritable destination touristique et l'engouement du public et de la presse pour ces habitants en marge du monde fut démesuré. L'afflux des touristes et de leurs valeurs ébranla les fondements même de l'économie de l'île. Le déclin de Saint-Kilda s'amorçait.

Le coup de grâce porté à la stabilité de la population fut la diminution progressive de leurs effectifs. De nombreux candidats à l'immigration devaient quitter l'archipel pour l'Australie, entamant sérieusement l'esprit de communauté qui animait ses membres. N'étant pas immunisés contre les maladies du continent, l'arrivée d'un bateau les remplissaient à la fois de joie et d'inquiétude, sachant que les membres d'équipage pouvaient leur transmettre le "rhume du bateau" comme ils avaient coutume de l'appeler. Des épidémies successives de petite variole, de grippe et, au début du XXe siècle, une élévation soudaine de la mortalité infantile due au tétanos et peut-être à la consanguinité achevèrent de les briser.

Le 29 août 1930, l'île fut définitivement évacuée. Les trente-six derniers Saint-Kildans embarquèrent avec leurs maigres possessions sur le Harebell, un navire affrêté par la marine, étreints par une indicible émotion, et regardèrent leur île, qu'ils ne devaient plus revoir.

De tout temps, la population de Saint-Kilda fut considérée comme une anomalie et ce sentiment n'a fait que s'accentuer à mesure que la civilisation industrielle prenait le pas sur le mode de vie traditionnel. La vie sur Hirta n'avait jamais été facile mais pendant des siècles elle avait été possible. L'évolution industrielle, les progrès de la médecine, le développement urbain et l'impérialisme financier ont peu à peu creusé la tombe des habitants de Saint-Kilda, en soulignant de façon évidente l'anachronisme de leur mode de vie.

GLEN COE HIGHLAND, 17 JUILLET 20 H.

GLEN COE HIGHLAND, 26 AVRIL 16 H.

ULLAPOOL, 2 OCTOBRE 18 H.

Les lumières de l'automne s'emparent des Highlands.

SITE DE SKARA BRAE.

LIT EN PIERRES.

Ce village néolithique date de
4 500 ans. Il fut découvert aux
Orcades en 1850.

ÎLE DE LEWIS, CERCLE SOLAIRE DE CALLANISH.

Il y a 3 500 ans, des hommes ont érigé des pierres en cercle en hommage au soleil.

CHÂTEAU DE STALKER FACE AUX ÎLES HÉBRIDES.

CHÂTEAU DE DUNNOTTAR.

CHÂTEAU EILEAN DONAN.

CHÂTEAU EILEAN DONAN.

A 90 printemps,
le Capitaine Haye conserve
avec fierté l'âme de son clan.

Ninian Brodie of Brodie est le 25e chef d'un clan dont les origines se perdent dans la nuit des temps.

Le kilt, habit de lumière,
tissu de souffrance,
solennité d'un passé
douloureux…

Toutes les folies, les bravoures, les exploits guerriers du clan se lisent
dans ce morceau de tissu que l'Écossais arbore avec fierté.

"Encore une seconde, rien qu'une. Le temps d'aspirer ce vide, connaître le bonheur…"
Samuel Beckett

ÎLE DE CANNA - HÉBRIDES EXTÉRIEURES.

ULLAPOOL.

ULLAPOOL.

ÎLE DE LEWIS, un paysan.

Ici dans sa "croft", typique maison de chaux et de chaume, le paysan goûte la douceur du repos.

Les moutons sont deux fois plus nombreux que les hommes…

Pour les paysans du Nord, la tourbe est le seul combustible qui permette de se chauffer.

Puzzle de terre et de mer, ce village des îles Hébrides accompagne l'infinie grandeur d'un espace isolé.

LERWICK SHETLAND.

Chassés des terres, les Crofters
ont bâti ce village de Crovie.
Austérité d'une vie coincée
entre la mer et la falaise.

LES SHETLANDS, MACAREUX.

FOU DE BASSAN.

KIRKWALL ORCADES.

SAINT-KILDA, LE PARLEMENT D'HOMMES.

Tous les matins, à Saint-Kilda, les hommes se réunissaient pour se répartir les tâches de la journée.

SAINT-KILDA.

Alignées comme à la bataille, leurs maisons les protégeaient des éléments déchaînés.

SAINT-KILDA.

Ni les vents furieux, ni les embruns glacés, ni les tempêtes n'avaient pu les déloger de leur île de désolation. Un mal nécessaire et récent y est parvenu : le progrès.

SAINT-KILDA.

Les Saint-Kildans se sont installés dans la seule baie protégée de l'île.

Chaque année, la reine d'Angleterre assiste aux jeux de Braemar.

"Honni soit qui mal y pense"

Savent-ils encore, ces joyeux participants au Festival d'Edimbourg,

que le grand
Robert-Louis STEVENSON
est né ici,

ÉDIMBOURG.

et qu'il s'inspira de l'ambiance
de sa ville pour y écrire
Docteur Jekyl et Mister Hyde ?

ÉDIMBOURG.

Vue générale d'Édimbourg
dominée par le siège d'Arthur.

ÉDIMBOURG.

ÉDIMBOURG,
HOLYROOD PALACE, RÉSIDENCE
DE LA FAMILLE ROYALE D'ANGLETERRE.

"La mer… cet infini qui attire sans cesse la pensée et dans lequel sans cesse elle va se perdre…"
Madame de Stael.

LOCH MARÉE.

Nous sommes bien en Écosse,
même si au petit matin

LOCH MARÉE.

LOCH MARÉE.

les pins calédoniens du loch Marée dessinent sur l'aurore de délicates aquarelles japonaises.

CARNET DE VOYAGE

UN PAYS DE SUPERLATIFS...

L'Écosse est sans nul doute un pays nordique, cerné par les eaux de l'Atlantique et de la mer du Nord qui adoucissent son climat même durant les mois d'hiver. Les nuits d'été se résument à 4 ou 5 heures de pénombre tandis que l'hiver, les journées se déroulent dans une semi-lueur, celle du soleil qui rase l'horizon avant de replonger de l'autre côté du monde. A l'échelle de la planète, l'Écosse est un pays minuscule, et représente 34% du territoire britannique. Pourtant, c'est une terre de superlatifs et je ne résiste pas à la tentation de vous livrer quelques chiffres évocateurs qui donnent un éclairage particulier à cette "terre des Scots".

Du nord au sud, le pays n'aligne que 500 km mais ses côtes s'étendent sur plus de 10 000 km, environ 800 îles baignent dans les eaux territoriales, dont 130 sont aujourd'hui habitées, plus de 300 montagnes couvrent 65 % du territoire avec le Ben Nevis qui culmine à 1 344 m et représente le point le plus élevé de Grande-Bretagne, les lochs (lacs écossais) sont au nombre de 30 000 environ tandis que l'on recense presque 7 000 rivières ou cours d'eau. Avec seulement 5 millions d'habitants, l'Écosse est le pays le moins peuplé en Europe continentale et présente une répartition extrêmement contrastée de sa population : moins de 10 habitants au kilomètre carré.

PAYSAGES MAGIQUES

On divise généralement le territoire écossais en cinq régions : la région centre, ou région des Basses-Terres concentre près de 80% de la population dans les deux villes principales du pays, Glasgow et Edimbourg. De chaque côté de cette ceinture urbaine, s'étendent les Hautes-Terres du Sud, au relief doux et varié et au nord, l'imposant massif des Grampians dont Aberdeen est le pivot économique. Plus haut, ce sont les paysages légendaires des Highlands, symbole de l'Écosse moyenâgeuse où il n'est pas rare de parcourir plusieurs dizaines de kilomètres sans croiser âme qui vive. Quant aux îles, innombrables et souvent habitées, on les trouve disséminées sur l'océan, entre les Hébrides intérieures et extérieures, à l'ouest de l'Écosse, là où la terre s'effrite et rend à la mer, sa part d'élément solide.

FORME DU SOL : "DEUX EXTRÊMES GÉOLOGIQUES"

Les roches qui composent le territoire écossais racontent l'histoire de la naissance de l'univers et parlent de l'autodestruction sans fin du relief calédonien, accompagnée, plus tard, par l'évolution lente mais constante de la vie organique, amenant à l'apparition de l'homme sur terre. C'est finalement l'histoire de la terre en miniature. Quand on voyage à travers l'Écosse, et particulièrement dans les îles Hébrides, l'homme est en contact permanent avec ces éléments primaires qui sont la base de la vie : la roche et l'eau. Partout, les ossements de la terre affleurent. Et quand l'on regarde autour de soi, une question vient à l'esprit : comment cette terre désolée peut-elle nourrir la vie ?

De nombreux géologues et historiens ont décrit et tenté d'expliquer les contrastes physiques et culturels entre l'est et l'ouest du pays. De façon générale, on trouve au sud et à l'est du pays des roches sédimentaires (argile, calcaire) qui offrent des paysages doux formés de plateaux tourbeux et de côtes régulières, de collines arrondies, de larges vallées et peu de bras de mer. Dans les Highlands de l'Ouest et les îles, les précipitations importantes ont favorisé l'érosion glaciaire et l'on y observe aujourd'hui des paysages composés de crêtes en dents de scie, de profondes vallées et des bras de mer qui pénètrent loin dans les terres. Les roches qui forment la partie occidentale de l'Écosse sont métamorphiques, c'est-à-dire que leurs cristaux ont été modifiés par des changements brusques de température : ce sont le quartz, le schiste et le gneiss.

J'aimerai vous parler plus en détail de cette roche bien particulière, le gneiss hébridien que l'on retrouve essentiellement dans les îles Hébrides extérieures (Barra, South Uist, North Uist, Harris, Lewis, Coll et Tiree). L'un des meilleurs endroits pour observer le gneiss est sur l'île de Coll, là où les collines agrippent les plages de leurs serres roses et les divisent en petites baies. Ici, plusieurs sortes de gneiss alternent. La couleur est vive, le grain est soit compact, soit partiellement cristallisé. La roche étincelle. Son grand âge vous imposera le respect car le gneiss est la plus vieille roche qui existe sur terre. Elle date de l'époque précambrienne, soit presque 3 milliards d'années alors que les laves tertiaires datent "seulement" de 50 millions d'années, ce qui représente, en langage géologique, de la roche nouvelle. Nous nous trouvons ici, entre les Hébrides intérieures et extérieures, en présence de deux extrêmes géologiques.

UISGE BEATA OU WHISKY

De tout temps, le whisky fut la boisson la plus répandue en Écosse, aussi bien parmi les paysans que les aristocrates et, de par ses origines modestes, resta longtemps un breuvage méprisé. Après la bataille de Culloden en 1746 et l'interdiction absolue en Haute-Écosse de manifester le moindre particularisme, la distillation du whisky fut soumise à une législation draconienne qui taxait lourdement chaque litre et chaque alambic. De ce fait, les distilleries illégales fleurissaient dans toutes les fermes des Highlands et faisaient partie du paysage rural, comme le fauchage du foin. L'orge transformé en "eau-de-vie" (terme gaélique pour le whisky) était souvent la seule monnaie d'échange dans les îles. Les contrebandiers, un terme utilisé à la fois pour désigner ceux qui élaboraient le whisky et ceux qui l'échangeaient, abondaient dans chaque vallée et les meilleurs malts provenaient des îles Arran ou d'Islay, là où les distances et les mers déchaînées rendaient le travail d'inspection plus difficile. L'inspecteur longeait les côtes en bateau car les routes n'existaient pas encore sur les îles et tentait de repérer les fumées suspectes en provenance du rivage. Elles pouvaient à l'époque, provenir innocemment du varech que l'on brûlait pour obtenir de l'engrais ou moins innocemment du whisky que l'on distillait. Les alambics étaient le plus souvent installés sur le rivage, à l'embouchure d'un ruisseau d'où l'on pouvait aisément repérer les croisières d'inspection. A cette époque, les voyageurs étaient plutôt vus d'un mauvais œil tant on pouvait les confondre avec des agents du gouvernement. A leur approche, les habitants s'enfuyaient dans leur maison dans lesquelles ils cachaient les alambics illicites. En 1823, date à laquelle fut abrogée la loi sur la distillation illicite du whisky, celui-ci devint une monnaie d'échange fort pratique dans les régions où les magasins n'existaient pas, et il n'était pas rare de devoir s'acquitter de son droit de passage sur un ferry avec une ou deux bouteilles.

L'EAU

Le whisky est l'une des industries qui bénéficie de la haute qualité de l'eau en Écosse. Les statistiques sont impressionnantes : le loch Ness contient à lui seul plus d'eau que l'Angleterre et le Pays de Galles réunis. Le loch Lomond représente la plus grande étendue d'eau en Grande-Bretagne et le loch Morar, avec ses 310 mètres de profondeur, se classe parmi les 20 lacs les plus profonds au monde. La rivière Tay est la plus longue de Grande-Bretagne et son débit d'eau est deux fois plus élevé que la Tamise. On recense en Écosse environ 30 000 lochs et plans d'eau et 81 d'entre eux fournissent le pays en eau potable ; 20 % des lochs et des rivières sont exploités pour produire de l'énergie hydroélectrique. Le pays n'utilise que 1 % de l'eau disponible. On parle sérieusement de dévier une partie de cette eau vers le sud de l'Angleterre trop sec, via des pipelines géants. Non seulement l'Écosse arrive sans difficulté à couvrir l'ensemble de ses besoins en eau, mais il s'avère que cette eau est d'excellente qualité, ce qui est bon pour le whisky bien sûr, mais également pour les fermes d'élevage de poissons et tous les sports et activités liés aux cours d'eau.

GUIDE PRATIQUE

PÉRIODE

La meilleure période pour découvrir l'Écosse est le printemps, d'avril à juin. C'est en effet la période où le taux de pluviométrie est le plus faible. Ceci dit, il est toujours hasardeux de faire des pronostics, la pluie est souvent présente à travers les saisons, mais rarement constante. Le soleil arrive toujours à percer et offre une lumière unique qui fait tout le charme de l'Écosse.

HÉBERGEMENT

Les "bed and breakfast" (chambres d'hôte) sont très intéressants pour plusieurs raisons. C'est déjà la meilleure façon de connaître la mentalité des Écossais et parler leur langue. Ils sont moins chers que les hôtels et les petits-déjeuners sont copieux.

SUPERFICIE

77 773 kilomètres carrés, soit environ 1/6 de la France.

POPULATION

5 212 000 habitants.

CAPITALE

ÉDIMBOURG, située à 875 km de Paris.

ITINÉRAIRE RÉGION PAR RÉGION

Le sud des Borders

Région peu touristique et méconnue, à tort car les Borders restent l'une des dernières régions préservées de l'Europe.

Endroit à ne pas manquer : depuis Édimbourg, prendre l'A 68 jusqu'à Earlston puis la B 6356 sur 5 km, et vous arriverez sur Scott's View qui offre une vue saisissante sur Eildon Hills et ses trois sommets (où le roi Arthur venait se reposer, d'après la légende).

De là, ne manquez pas Melrose et son abbaye.

Plus au sud, l'A 708 est une route sauvage magnifique et très vallonnée. Si vous êtes amateur de pêche, longez la Tweed de Kelso à Peeble, les saumons et les truites vous attendent.

Le Centre

Glasgow et Édimbourg se partagent près de 80% de la population. Édimbourg est l'une des plus belles capitales d'Europe et mérite à elle seule d'y rester plusieurs jours.

Stirling, à 40 km au nord d'Édimbourg, est une ville très agréable avec son quartier médiéval et son château.

A 4 km au nord, à Bridge of Allan, venez déguster une bière ou des langoustines au "Westerton Arms" un pub typiquement écossais, mais tenu par un breton, Patrick Peron. De là, prenez la route de l'ouest et traversez l'un des plus beaux parcs nationaux écossais "Le Queen Élisabeth Forest Park" et découvrez les "Trossachs" sur le loch Katherine à bord d'un vieux bateau à vapeur. L'endroit est féerique.

L'Ouest et les Hébrides intérieures

La côte ouest offre des paysages les plus typiques d'Écosse. Elle est formée de plusieurs centaines d'îles qui bénéficient d'un climat très doux et pluvieux grâce au Gulf Stream qui favorise l'épanouissement d'une végétation luxuriante et exotique : palmiers, eucalyptus, rhododendrons et myosotis géants !

Depuis le loch Katrine et Callander, prendre l'A 84 puis l'A 85 jusqu'à Oban, c'est le départ pour les îles Hébrides. Le choix entre toutes ces îles est difficile, elles ont toutes un charme fou et il faudrait plusieurs mois pour les visiter.

Pour les amoureux de la nature, je vous conseille l'île de Jura : 300 habitants et... 4 000 cerfs ! Faites la traversée des "Paps of Jura",

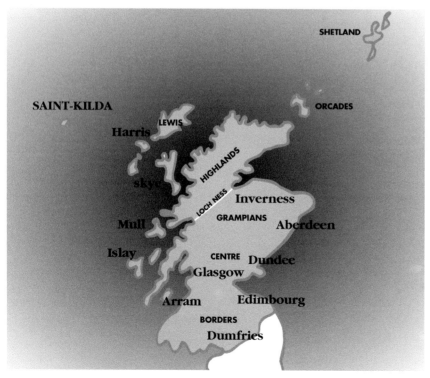

800 mètres d'altitude ; vous ne serez dérangés que par les cerfs et les oiseaux !

L'île de Islay, sa voisine, n'est séparée que par 1 km. C'est une étape incontournable pour les amateurs de whisky dont je fais partie : 9 distilleries dont les meilleurs pur malt Lagavulin, Laphroaig, Bomowre. Leur goût riche en tourbe est très particulier.

L'île de Mull, avec l'île de Skye sont mes préférées : Mull est très sauvage et abrite le plus joli port d'Écosse, Tobermory. Depuis le sud de l'île, des bacs vous emmènent sur l'île de Iona, berceau du christianisme en Écosse. Endroit très touristique, des milliers de visiteurs défilent autour de l'abbaye et du cloître.

Toujours depuis Mull, partez pour l'île de Staffa : 1 heure 30 de bateau. Cette île volcanique est unique en son genre : ses falaises et sa grotte basaltique de forme géométrique a été immortalisée en musique par Mendelssohn dans son ouverture des *Hébrides*.

En remontant depuis Oban vers le nord par l'A 828, arrêtez-vous à la hauteur de Port Appin. La vue sur les îles Hébrides et le château de Stalker est un enchantement.

Île de Skye : on y accède depuis Kyle of Lochalsh, soit par le ferry soit par le nouveau pont mis en circulation en 1997. L'hôtel-restaurant à côté du port de Kyle est tenu par un français passionné de chasse, de pêche et de whisky. Sa collection de bouteilles est impressionnante ! L'île de Skye est très touristique, mais il faut dire que l'endroit est majestueux, la nature est intacte et diversifiée. Le massif des Cullins, avec son point culminant à 1 000 mètres, est le site montagneux le plus impressionnant de Grande-Bretagne.

Les Hébrides extérieures

Situé à 65 km de la terre ferme et s'étendant sur 208 km entre le nord de l'île de Lewis et le sud de l'île de Barra, les Hébrides extérieures sont le berceau de la culture celtique. On y parle encore le gaélique. 30 000 personnes y vivent, et Lewis et Harris en sont les îles principales. On y élève essentiellement des moutons et on fabrique le tweed à Harris.

Le temps y est souvent pluvieux et venteux. Les paysages sont désertiques et hostiles. Dans cette île, le temps s'est arrêté ; l'âme celtique est partout ; l'ambiance est magique.

Lewis est très riche en sites préhistoriques. Les plus célèbres sont les pierres levées de Calanish. Ces treize pierres rituelles dont certaines atteignent 3 mètres de haut sont disposées en cercle et datent de 5 000 ans. Elles restent encore aujourd'hui un grand mystère pour les scientifics. On pense que cette civilisation vouait un culte à travers des rituelles et des croyances en vénérant le soleil.

Le Nord

Les Highlands du Nord sont le cœur de l'Écosse et Inverness en est sa capitale. C'est le point de départ pour découvrir le loch Ness qui n'est pas le plus beau lac d'Écosse, loin de là, mais si vous voulez voir Nessie sur tee-shirts, porte-clés, peluches… arrêtez-vous à Urquhart Castle, célèbre ruine sur le loch Ness. Les boutiques touristiques ne sont pas loin ! De là, prenez l'A 881 en direction de Cannich et découvrez un endroit très sauvage : Glen Affric, point de départ de plusieurs randonnées.

Plus au nord, vous pénétrerez dans le Sutherland, région dite du pays des merveilles de Lewis Carroll. Les trains ralentissent pour permettre aux voyageurs d'admirer les superbes paysages de lochs et de landes.

Depuis Lairg, prenez l'A 836 jusqu'à Tongue, puis l'A 838, et longez le bout du monde de la côte nord, de grandes plages de sable blanc vous attendent.

Redescendez par l'A 894 à Unapool, vous pourrez dormir dans une magnifique auberge. Le patron vous emmène dans son bateau pour une visite inoubliable.

Plus au sud, le loch Maree a reçu le titre de plus beau lac intérieur écossais, c'est également mon avis ! Si vous avez la chance d'y être au printemps, ne manquez pas les célèbres "d'Inverewe Gardens", somptueux jardins de plantes et de fleurs sud-tropicales. L'étonnante acclimatation de ces plantes à cette latitude est due au courant chaud du Gulf Stream.

Longez le loch Maree jusqu'à Kinlochewe, puis prenez l'A 896. Vous entrez dans la réserve naturelle de Toridon, le rendez-vous des marcheurs. L'endroit est célèbre pour sa beauté, la route offre des points de vue à vous couper le souffle. Depuis Locharon, prenez la direction de Kyle of Lochalsh. Vous allez rencontrer le château le plus célèbre d'Écosse, j'ai nommé "Eilean Donan Castle".

L'Est

Appelé plus communément le grenier de l'Écosse, l'Est constitue la plus importante région agricole de Grande-Bretagne. Nous vous conseillons deux endroits qui méritent le détour :

Saint-Andrew, son golf est le plus célèbre du monde, mais si vous êtes hermétique à ce sport, visitez les ruines de la cathédrale de Saint-Andrew.

Plus au nord, à 20 km au sud d'Aberdeen, découvrez Dunottar Castle, une forteresse impressionnante posée sur la mer.

Saint-Kilda

Saint-Kilda est la propriété du National Trust for Scotland depuis 1957 et une réserve naturelle nationale. La même année, l'armée y a également installé un camp permanent mais voué à disparaître. (**National Trust for Scotland,** 5 Charlotte Square, Edinburgh EH2 4DU, ECOSSE).

Comment s'y rendre ?

Des bateaux de pêche aménagés en voiliers de plaisance assurent durant les mois d'été la liaison du continent à Saint-Kilda. Mais aucun d'eux ne pourra vous certifier un débarquement sur l'île pour la bonne raison que le temps change très vite (parfois quelques heures) et si une tempête s'annonce, le débarquement s'avère trop dangereux. Un repli sur les Hébrides extérieures est nécessaire avant de tenter une nouvelle fois sa chance. (**M.V. CUMA** Mallaig Baotbuilding Co. ; Harbour Slipways, Mallaig, Inverness-shire PH41 4QS ECOSSE).

QUELQUES DATES

500 ans av. J.-C. : les Celtes s'installent en Écosse.
79 ans ap. J.-C. : occupation romaine en Grande-Bretagne.
Ve siècle : Pictes et Scots fondent leur propre royaume en Écosse.
VIe-XIIe siècle : les princes écossais se disputent le pouvoir.
XIIIe siècle : Wallace puis Bruce organisent la résistance nationale.
1328 : défaite anglaise. L'indépendance de l'Écosse est assurée par le traité d'York.
1371 : début du règne des Stuart.
1468 : les îles Shetland et Orcades sont rattachées à la couronne d'Écosse.
1542-1560 : naissance de Marie Stuart. Le pays est déchiré par la réforme.
1567 : Marie Stuart abdique.
1603 : Jacques VI d'Écosse devient Jacques Ier d'Angleterre.
1707 : l'acte d'union réunit définitivement les deux royaumes.
1745-1746 : les Stuart revendiquent la couronne écossaise.
1750-1850 : politique des "Highlands clearances" ; les paysans du Nord sont chassés de leurs terres au profit de l'élevage du mouton.
1850-1950 : pendant la révolution industrielle, l'Écosse connaît un essor économique important.
1950 : crise de l'industrie minière et des chantiers navals.
1968 : découverte de gisements de pétrole en mer du Nord.
1978 : échec relatif du référendum sur une plus grande indépendance nationale.

BIBLIOGRAPHIE

- *Le Grand Livre de l'Écosse*, Éditions Gallimard
- *Le Guide Visa en Écosse*, Éditions Hachette
- *Histoire d'Écosse*, de Jean-Claude Crapoulet, Éditions Que Sais-je
- *Écosse, pierre, vent et lumière*, Collection Autrement
- *Highlanders*, de Fitzroy Maclean, Éditions Adelphi
- *Les Mondes Nordiques*, Éditions Talandier
- *Saint-Kilda, l'île hors du monde*, de Tom Steel, Éditions Peuple du monde, 1992
- *Saint-Kilda*, de David Quine, Éditions Colin Baxter Island, guide, 1995
- *Saint-Kilda*, portraits de David Quine, Éditions Dowland press ITD, 1988
- *The Story of Saint-Kilda*, de Charle Maclean, Éditions Canongate Classics, 1992

REMERCIEMENTS

Aberdeen University - Braemer Higland Games - Ninian Brodie of Brodie - Calum MacLean - Mr and Mrs Gary Craig - Dave Cochrane - Donald A Lewis - Sandrine Démolis - James Dhoury - Charles and Michele Forbes - Capitaine Haye - MV Cuma Mallaig - National Trust for Scotland - National Film and Television Archive - Patrick and Fiona Peron - P. and O. Scottish Ferries Aberdeen - Philipp Ramdane - Pascal Rose - Scottish Fisheries Protection Agency - Uig Primary School Lewis - William Watterlot - Robert Anderson - Samande Jugglers (Edimbourgh Festival) - Scottish Tourist Board.

ACHEVÉ D'IMPRIMER
EN SEPTEMBRE 1997
SUR LES PRESSES DE L'IMPRIMERIE
A. BARTHÉLEMY
- ANCIENNE MAISON DES OFFRAY -
IMPRIMEURS EN AVIGNON
DEPUIS 1640